Les Belles
HISTOIRES

Le Secret de la petite Souris

Alain Chiche • Anne Wilsdorf

bayard jeunesse

Aujourd'hui, en rentrant de l'école, Raphaël a très faim.
Il mord à pleines dents dans son goûter quand,
soudain, il fait : – Ooohh !
Ça y est, dit Raphaël, ma dent est tombée ! Regardez !
– Bravo, dit son papa. Tu ressembles à un vrai pirate, maintenant !
N'oublie pas de mettre ta dent sous l'oreiller ce soir…
Parce que, lorsqu'on perd une dent,
la petite souris vient la chercher pendant la nuit
et elle donne un cadeau en échange.
– Mais, demande Raphaël,
qu'est-ce qu'elle va faire avec ma dent ?
– Hum… C'est son secret ! dit Papa.
– Ouaf ! fait le chien Bouli
qui a l'air d'avoir tout compris.

Le soir, Raphaël veut découvrir
le secret de la petite souris.
Il guette son arrivée en se demandant :
« À quelle heure va-t-elle venir ?
Comment connaît-elle mon adresse ?
Et puis, qui l'a prévenue que j'avais perdu ma dent ? »
Mais les paupières de Raphaël sont lourdes, très lourdes…

Au moment précis où il s'endort,
le chien Bouli se lève et il sort tout doucement de la chambre.
Il grimpe sur la chaise du couloir, saisit le téléphone
et, avec sa patte, compose un numéro.

Loin de là, au pays des souris
chercheuses de dents,
une petite souris blanche
s'active dans son bureau.
Elle consulte ses messages sur Internet
quand, soudain, le téléphone sonne :
– Allô oui ? Compagnie des Petites Souris,
bonjour ! Tina à votre service !
– Ouaf, c'est moi ! dit Bouli.
Je vous appelle pour vous prévenir
que mon jeune maître,
ouaf, a perdu sa première dent, ouaf ouaf !
Surtout, n'oubliez pas son cadeau.
Il s'appelle Raphaël.
Je vous donne notre adresse…
Tina répond : – C'est noté !
Merci de votre appel, monsieur Bouli.
J'arrive !

Aussitôt, Tina, la petite souris,
s'élance à toute vitesse.
Quand elle arrive à l'aéroport
international des Rongeurs,
un pigeon voyageur l'attend
dans la zone d'embarquement.
– Bonjourrr, miss Tina ! dit le pigeon.
Vous êtes à l'heurrre…
Je suis Jules, bienvenue à borrrd !
– Salut Jules, répond Tina
en montant sur le dos de l'oiseau.
Cap sur la maison de Raphaël !

Après un long voyage, Jules se pose doucement
sur le toit de la maison de Raphaël.
Tina se glisse dans la cheminée.
La voilà dans le salon :
– Ouaf, je vous attendais, dit Bouli
en remuant la queue. Suivez-moi !

Dans la chambre de Raphaël,
la petite souris se faufile
et grimpe sur le lit.
– Objectif dent atteint !
dit-elle en découvrant
la dent de lait.
Tina met la dent dans son sac à dos.
Puis elle prend un petit cadeau
qu'elle glisse sous l'oreiller de Raphaël.
– Objectif cadeau atteint ! dit-elle. C'est du bon boulot.
Oups, j'allais oublier quelque chose !
Tina se penche alors vers l'oreille
de Raphaël et elle chuchote tout bas :
– Bonne nuit, Raphaël.
Et merci pour la dent !

De retour à la Compagnie des Petites Souris,
Tina se dirige au pas de course
vers le guichet «Service des dents de lait».
– Salut collègues! dit-elle en croisant d'autres petites souris.
– Salut Tina! répondent les souris. On repart en mission!
Et elle s'approche d'un mulot.
– Bonjour, professeur Mulot! dit Tina.
Voilà une belle quenotte d'enfant de six ans!
– Merci, dit le professeur Mulot. Quel beau spécimen!

C'est exactement ce qu'il nous fallait. Suivez-moi, miss Tina,
je vais vous présenter nos dernières innovations.

– Regardez, dit le professeur Mulot à Tina,
c'est ici que nous trions les dents de lait.
Voilà nos nouveaux paniers de tri
pour les dents des enfants de cinq, six, sept et huit ans.

– Très ingénieux ! s'exclame Tina.
– Et ici, nous les transformons
pour leur donner une forme utile !
Voilà le résultat…
Et en effet, au bout du tapis roulant,
apparaît une grande défense d'éléphant.
– Ma-gni-fique ! s'écrie Tina.

Le professeur Mulot continue sa présentation :
– Et regardez notre organisation :
avec cette défense qui vient juste d'être terminée,
on va pouvoir soigner le grand éléphant d'Afrique
qui nous a appelés il y a trois jours.
Regardez, notre équipe est déjà prête à partir en Afrique
pour lui apporter sa nouvelle dent !

Le lendemain matin, Tina retourne dans son bureau.
Elle trouve un énorme paquet de lettres
en provenance du monde entier.
– Voyons qui a encore besoin de dents
chez nos amis les animaux.
En Chine : Domi le panda. En Inde : Lotta le tigre.
En Allemagne : Shakia le poney.
Kala le morse au pôle Nord…
Eh bien, nous en avons du travail !
Tiens, j'ai déjà un message d'Afrique sur mon ordinateur !
«Merci pour la dent ! Signé : le grand éléphant.»
Ça, c'est une bonne nouvelle !
Mais le téléphone sonne.
Bip ! Bip ! Bip !
– Allô ! Compagnie des Petites Souris, j'écoute !
répond Tina. Comment ? Oui, j'arrive !
Et Tina, la petite souris, repart en mission.

Au même moment, Raphaël se réveille
et il se dépêche de regarder sous son oreiller :
– Ma dent a disparu !
Mais… ouah, j'ai un cadeau !
C'est un petit éléphant en peluche.
– Super ! s'exclame Raphaël.
– Bonjour, mon grand ! disent Papa
et Maman. Raphaël leur dit :
– Et mes autres dents,
elles vont tomber quand ?
Parce que moi, je vais commencer
une grande collection… de cadeaux !

Dans la collection
Les Belles HISTOIRES

Jacqueline Cohen
Bernadette Després

Marie-Hélène Delval
Pierre Denieuil

Mildred Pitts Walter
Claude et Denise Millet

Catherine de Lasa
Carme Solé Vendrell

Véronique Caylou
David Parkins

Marie-Agnès Gaudrat
Colette Camil

René Gouichoux
Éric Gasté

Marie-Agnès Gaudrat
David Parkins

Claire Clément
Carme Solé Vendrell

Hélène Leroy
Éric Gasté

Jo Hoestland
Claude et Denise Millet

Alain Chiche
Anne Wilsdorf

Youri Vinitchouk
Kost Lavro

Anne-Laure Bondoux
Roser Capdevila

Josiane Strelczyk
Serge Bloch

Anne Leviel
Martin Matje

Kidi Bebey
Anne Wilsdorf

Marie-Hélène Delval
Ulises Wensell

Emilie Soleil
Christel Rönns

Janine Teisson
Jean-François Martin

Anne-Isabelle Lacassagne
Emilio Urberuaga

Claude Prothée
Didier Balicevic

Françoise Moreau-Dubois
David Parkins

Anne-Marie Abitan
Ulises Wensell

Kidi Bebey
Anne Wilsdorf

Marie-Agnès Gaudrat
Colette Camil

Gigi Bigot
Ulises Wensell

Thierry Jallet
Sibylle Delacroix

Michel Amelin
Ulises Wensell

Claire Clément
Jean-François Martin

Agnès Bertron
Axel Scheffler

Eglal Errera
Giulia Orecchia

René Escudié
Claude et Denise Millet

Gwendoline Raisson
Anne Wilsdorf

Marie-Hélène Delval
Ulises Wensell

Catharina Valckx

Les Belles HISTOIRES

Tu as aimé cette histoire ?
Découvres-en de nouvelles
tous les mois
dans le magazine **Les Belles HISTOIRES**
chez ton marchand de journaux
ou par abonnement.

● **Un récit**
*pour le plaisir de jouer
avec les mots*

● **Une grande histoire**
*magnifiquement illustrée
pour plonger ensemble
dans l'imaginaire*

● **Un conte**
*à découvrir, avec son décor
en volume déjà tout monté*

● **Une aventure de Zouk**
l'apprentie sorcière

*À découvrir sur **www.belleshistoires.com***

ISBN 13 : 978-2-7470-2532-4
© Bayard Éditions 2008
Texte d'Alain Chiche, illustrations d'Anne Wilsdorf
Dépôt légal : avril 2008 - 5 édition
Impression en France par Pollina s.a., 85400 Luçon - L60207C
Loi 49-956 du 16 juillet 1949
sur les publications destinées à la jeunesse